W9-BKT-462

Para Steve y Matthew

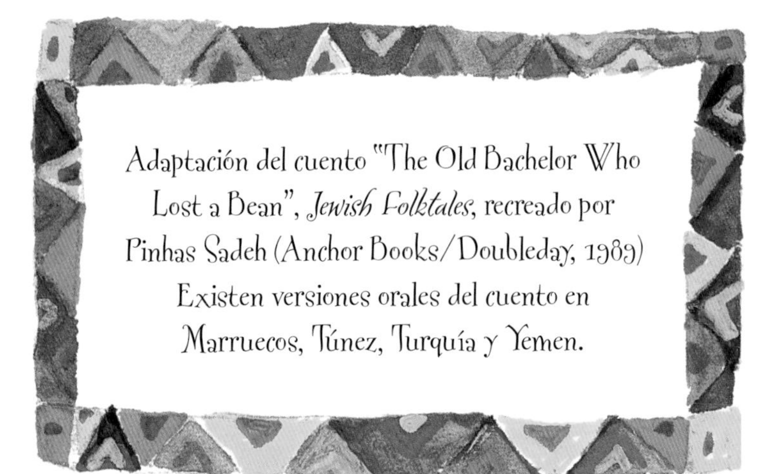

Adaptación del cuento "The Old Bachelor Who Lost a Bean", *Jewish Folktales*, recreado por Pinhas Sadeh (Anchor Books/Doubleday, 1989)
Existen versiones orales del cuento en Marruecos, Túnez, Turquía y Yemen.

Las alubias son conocidas en los cinco continentes, aunque con nombres muy diversos. En España se las conoce como judías o habichuelas; en México, El Salvador y Guatemala como frijoles; en Colombia y Cuba se les añade un acento y se las llama fríjoles y en Ecuador y Perú fréjoles; en Argentina, Chile, Costa Rica, Panamá y Paraguay son conocidas como porotos; en Venezuela las llaman caraotas y en Puerto Rico habichuelas prietas.

Título original: *The Bachelor and the Bean*
Adaptación de: Miguel Ángel Mendo
Editado por acuerdo con Frances Lincoln Limited

La tipografía de este libro es la Fontesque

Primera edición en lengua castellana para todo el mundo:

Muntaner, 391 – 08021 – Barcelona
www.edicioneserres.com

ISBN: 84-8488-162-8

El solterón y la alubia

Shelley Fowles

ediciones Serres

Érase una vez, hace mucho tiempo, un viejo solterón que vivía en un pueblecito de Marruecos.

Un día se compró un plato de alubias estofadas en el mercado. Justo cuando estaba terminando de comérselo, una alubia, la última, saltó del plato y se coló dentro de un pozo.

–¡Eh, mi alubia, mi alubia! –gritó.

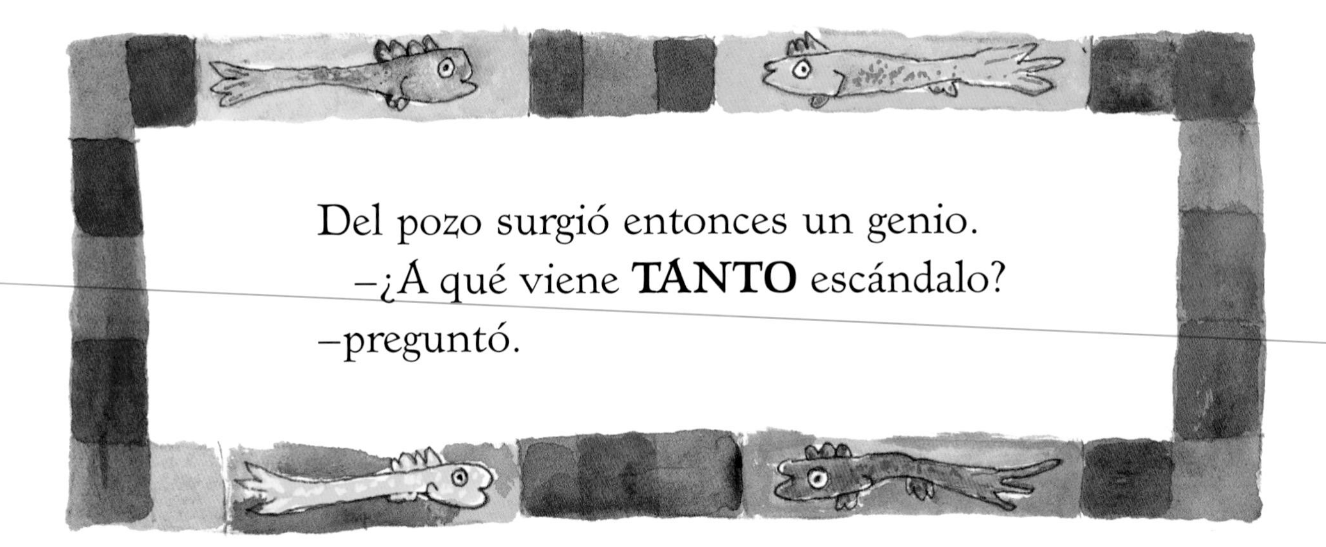

Del pozo surgió entonces un genio.
–¿A qué viene **TANTO** escándalo?
–preguntó.

–¡Quiero que me devuelvas mi alubia! –protestó el hombrecito, muy enfadado.

–¡Por los pelos de la barba de mi abuela, cuánto alboroto por una mísera alubia! –exclamó el genio–. Anda, toma esta olla mágica, pídele lo que quieras de comer y lo encontrarás dentro. ¡Pero deja de hacer ruido de una maldita vez!

Y diciendo esto volvió a zambullirse en el pozo.

–Olla, quiero un guiso de cordero con pasas y almendras –dijo el solterón sin mucha convicción.

Pero para asombro suyo, su deseo fue cumplido: un delicioso olor surgía del manjar que acababa de aparecer dentro de la olla.

La nueva olla resultó ser aún mejor que la primera. Traía todos los platos y vajillas que se le pidiesen, ya fuesen de oro puro, de plata o de fino cristal.

El solterón estaba tan encantado que fue enseguida a contárselo a los vecinos.

Naturalmente, la vieja envidiosa volvió a robarle la olla. Sólo que esta vez ni siquiera se molestó en cambiarla por otra.

De nuevo el solterón se presentó ante el pozo.

–¿Tú otra vez? –aulló el genio irritado–. No digas nada, ya sé lo que te ha pasado. En el mercado no se habla de otra cosa. Mira, ésta es la última olla. ¿La ves? Pues toma. Tienes que llenarla de agua y mirar dentro. ¡Y que no se te ocurra volver por aquí!

El cascado solterón echó agua en la olla y miró en su interior.

Lentamente comenzó a distinguir la imagen de la vieja envidiosa junto con las dos ollas que había robado.

El hombre fue corriendo a la puerta de su casa y se puso a aporrearla.

–¡Devuélveme las ollas, vieja bruja!

–¿Con que vieja bruja, eh? –le respondió ella con una voz agria y chillona–. ¡Pues nunca tendrás las ollas! ¡Porque son mías y sólo mías! ¿Entiendes?

El solterón se quedó impresionado. ¡Qué voz tan horrible! ¡Qué carácter tan espantoso! ¡Y qué modales tan... tan... tan encantadores! ¡Pero si era estupendo! ¡Hacían una pareja perfecta! ¡Con qué pasión podrían gritarse el uno al otro!

–**¡Oh, bruja insoportable, cásate conmigo!** –exclamó– ¡Casémonos y así las ollas serán de los dos!

Así fue como el viejo y antipático solterón recuperó sus ollas y ganó una esposa. En la fastuosa boda que celebraron, la comida que salía de una de las ollas era servida en la vajilla que salía de la otra.

Y celebro poder contaros que, desde entonces, sus gritos y sus peleas pueden oírse de un extremo de la ciudad al otro.